사십구재를 마치고

타누마 아사 작품집

**Collected short stories
of Asa Tanuma**

Asa Tanuma

목차 contents

수국도
슬슬
끝인가….

8

본 기억이
있는 것
같은…

아.

미안해요,
바로
떠올리질
못해서.

아.

못 알아본
거예요?

아까는

뭐야,
웃어줬는데.

여기(휴게소)
였구나……

웃었다고
…?

근데 용케 알아봤네요.

저를.

그야 알아보죠.

여기 오는 사람은 한정돼 있으니까요.

수고 하셨어요.

어디서 본 건가 했어요….

거의 집이랑 회사밖에 안 다니 는데

회사였나

그리고 엄청나게 바람 분 날 있었잖아요?

작년… 가을쯤에.

장난 아니네.

?

아마 일 때문에 머리가 복잡해서 그랬을 거예요….

뭔가 재밌었 거든요.

부끄럽네

뭐, 저도 그랬지만

그때

이 사람 어지간히 혼자 있고 싶구나라고 생각해서

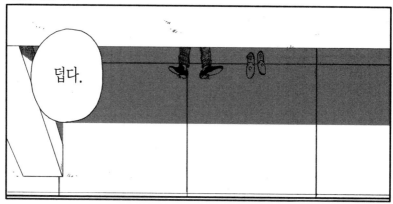

...이제 또 일하러 가야 하는 건가….

하————

그늘 발견!

오.

근데 다른 사람과 함께 먹는 아이스크림도 추억 도수가 높을 것 같단 말이죠.

음.

안 잊어버리지 않을까요?

추억 도수라….

이게 최고의 추억이 될 가능성이 있어요.

여름인데 노동으로 하루가 녹아가네….

나는… 아무것도 없네.

...바다라도 갈래요?

소우다 씨는요? 이번 여름 예정.

자격증 시험 공부요.

좋네요.

사십구재를 마치고

근데 왠지

이걸

바다요.

바다…

다들 바다에 가는데 거기 대체 뭐가 있는 거죠?

소우다 씨랑 얘기하게 된 것만으로 충분해요, 이번 여름은.

엄청 플러팅같은 말을….

바로 바람 났네.

그런 게 아니라.

아, 근데 계속 얘기해 보고 싶은 사람이 있어요.

뭐… 이해는 되지만요.

흐응.

뭐죠.

호오…

행동이 바로 인생을 만드는 거라고만 말해 둘게요.

아뇨, 뭐랄까 팬…? 같은…

사랑 쪽으로?

사십구재를 마치고
Collected short stories
of Asa Tohomo

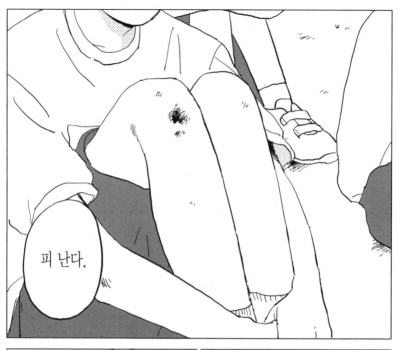

피 난다.

아, 그러네.

…

피 난다고 무릎에.

이시카와.

이시카와가 다리를 다쳤는데 보건실 가도 되나요?

선생님,

무슨 일이야?

나라~.

별로 안 아파.

보건실 가는 게 좋지 않아?

균 들어갈 텐데.

그럼 다음은 멀리 뛰기.

그치?

그 말을 들었더니 왠지 아픈 것 같아.

진짜 안 아팠는데

보건실은 수업 중에 가는 게 재밌잖아.

바보냐.

그래도 쉬는 시간에 가면 되는데.

고별식 12일 11시부터

이시카와家 식장

아버지가
돌아가셨다.

그 후로는
순식간이었다.

작년에
병이
발견됐고

늘었다
줄었다 하는
검은 덩어리를

하염없이
계속
바라본다.

고인의
체면만을 위해
준비한 의식은

영원히
이어질 것 같은
분위기가
있어서

가끔
머리도
숙인다.

…아.

장례식에서
친구를 만나는 건
이상한 느낌이다.

갑자기
들어서…

이상한
머리
모양…

그건 그렇고
졸립다는
생각이

츠카사.

어쨌거나
눈물 한 방울도
나오지 않았다.

그래.
힘들었지?

큰아버지,
오랜만에
뵙네요.

좋은 회사에
들어가서

그거
다행이구나.

일은
어때?

아아,
뭐…
그럭저럭하고
있어요.

이상?

이상이 더 높았던 것 같지만요.

…글쎄요, 아버지는

그 녀석도 좋아했을 텐데.

네?

…나한테 경쟁심이 있어서였겠지.

아무것도 만족하지 않으셨을 거라고 생각해요.

내가 결혼했거든.

그 녀석이 계속 반해있던 여자랑

그래서 그 녀석도 홧김에 바로 중매로 결혼했거든.

…아.

전처 얘기야.

아, 그쪽이 아니라

……

유미코 씨가
고생이
많았을 거야.

뭐,
너도
그렇지만.

또 우리 애랑
네가
동갑이잖아.

그보다
최근에는
제대로 된
대화조차…

옛날
얘기는
전혀….

네.

그런 얘기
한 적 없어?

계속
자신감 없이 살다가
결국 나보다 먼저
죽어버리기나
하고.

뭘
의식했던 건지
모르겠지만
자신만의
기준이랄까.

하여간
전부터
프라이드만
높아서는

……

하하하……

도심에 빌린 집에
들어갈 틈도 없다고
자주 툴툴거려.

아까운데
내가 살까.

여전히
이리저리
뛰어
다니고
있지.

잘 지내요?

유타카는
요즘
어때요?

상대는?

너는?
결혼 안 해?

바쁘게
지내나 봐.

내년에는
결혼도
한대.

아니,
저는….

아,
축하드려요.

없어요.

아이도
갖고 싶으면
일찌감치─

남자는
그렇게
서두르지
않아도
되지만

그래도 조심해라.
슬슬 해볼까 싶으면
주변 여자들도
다 나이 들어
있으니까.

정말
많이 닮은
형제네.

창문 좀
열어줄래?

응.

하아,
이런.

하아.

…긴
하루였어.

빨리 씻고 자.
피곤하잖아.

이어서
내일
날씨입니다.
긴키 지방은

그래야지.

내가
문단속하고
갈게.

우산을
지참하시길
바랍니다.

츠카사.

지역에 따라
소나기가…

낮에는 맑고
오후부터는
흐릴 것으로

엄마,
좋아하는
사람이 있어.

주간
날씨입니다.
다음 주부터

예년에 비해
조금
추운 날씨가
예상됩니다.

언젠가 말하려고 했거든.

뭘 하겠다는 건 전혀 아닌데

그래서

뭐?

미안.

글쎄, 사기 치려고 5년이나 걸릴 것 같진 않은데.

호, 혹시 속고 있는 거라던가….

어? 진짜?

이렇게 됐다고 하는 말도 아니고,

오늘 이라서가 아니라….

아니,

오늘 할 얘기는 아니였지.

항상

아빠 말대로 사는 게

이제 네가 아무것도 신경 쓰지 않았으면 좋겠어.

정말.

?

34

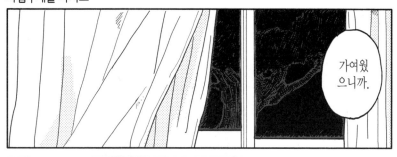

가여웠
으니까.

하아….

그래.

엄마, 밥!!

많이 먹어.

고맙네, 고마워.

... 그러고
보니

알았어.

잠깐
내버려 둬.
고마워.

오늘
저녁은?

음,
장례식
후에
답장은
왔었는데

왜앵

1주일 전인가

뭔가
연락
있었어?

아키,
츠카사는
그 후로
어떻게
지내니?

왜앵

이시카와

오오,
양반은
못 되네.

웬일
이야?

여보
세요?

왜앵

왜앵

어?
핸드폰
어딨지?

찾았다!
사이렌
좋잖아.

교도소
사이렌 같은
벨소리 좀
바꿔.

…뭐?

…말도 안 돼.

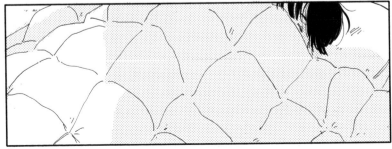

서른이 코앞인 어른이

컨디션 관리 하나 못해서…

… 고마워.

밥은 제대로 먹었어?

수면 부족?

……응.

근데 계속 없는 것 같아…. 현기증이 나서 못 일어나겠어.

열은?

자, 조금이라도 먹어.

으….
너 일은 …?

납기 아직 여유 있어서 괜찮아.

이제 와서?

그래 ….

의심스럽네.

뭐… 일단 주방 좀 빌릴게.

응.

힘든 때일수록 밥은 꼭 먹어.

목소리 커….

그리고 뭐가 창피해!!

잠깐 창피한 것 때문에 죽을 거냐?!

근데 진짜 힘들면 구급차를 불러야지.

창피하잖아.

좋아하는 사람이 있대. 그 사람.

여기서 너한테까지 무슨 일이 생기면 아주머니

뭐랄까,

이렇게 된 거야?

…

그게 쇼크라서

사실 인지는 모르겠지만.

그렇게 말했어.

…뭐? 아주머니 가?

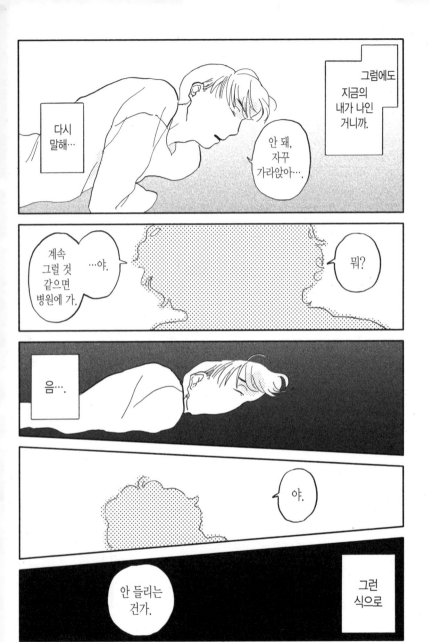

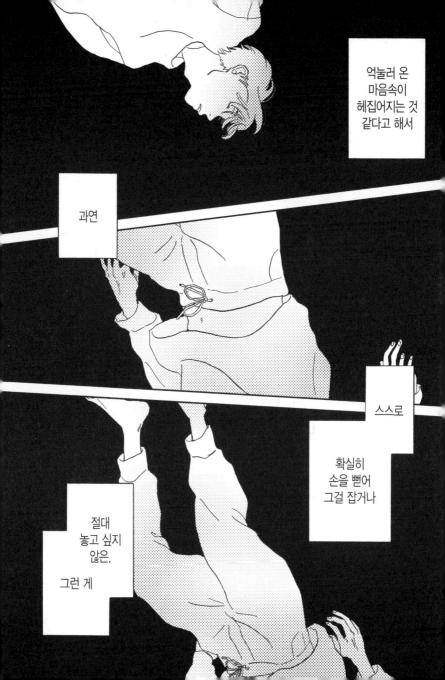

억눌러 온
마음속이
헤집어지는 것
같다고 해서

과연

스스로

확실히
손을 뻗어
그걸 잡거나

절대
놓고 싶지
않은,

그런 게

하나라도
있는 걸까?

앗.

고마워요,
확인할게요.

이시카와 씨!
후지 방적에서
온 견적
방금 보냈어요.

...

아뇨,
말이 좀 이상
했네요.

지친
고모관
같이

제가
뭔가
잊어
버렸나요?

...네?!

의욕 없으면
퇴근해도
돼요.

이시카와
씨.

아.
이거네

달칵 ...

달칵 달칵

저번에
몸도
안 좋았
잖아요.

힘든 일
겪은 지
얼마
안 됐고...

먹고
있어요.

점심때도
엄청 빨리
들어오던데.

제대로
먹고
있어요?

괜찮아요.

아...
고마워요.

정말
일까?!

50

오히려
이시카와 씨가
손이 많이 가는
애였던 거예요?

…

하아 더 먹어

남 전부터
돌보는 걸
굉장히 좋아
했거든요.

물론 환경이나
본인의 자질도
있겠지만

…

제가
약해서라기보단…
간호사
어머니 덕에
길러진
그 녀석의
돌봄
능력이…

분명 어머니가
간호사 시리얼
킬러인 사람도
있을걸요.

잘은
몰라도

맞아요.

…그런
건가.

이시카와
씨한테는
잘 해주고
싶으니까
그러는 거겠죠.

친구라면 자연스러운 것 같기도 해요.

... 가라앉아 있다고요?

가라앉아 있으니까 하지만 뭔가 해주고 싶은 건

...아.

……

...아니,
갈게.

응?
뭔데?

퀴즈야?

30분 정도
걸릴 거야.

...응.

지금
막 회사에서
나왔으니까

계속 그렇게 생각했어?

말다툼을 했었나?

네 아빠랑도 한 번? 말다툼한 정도로 대화도 거의 피했고.

넌 중요한 건 하나도 말을 안 하잖니.

성적 때문이었는지 뭔지…

어쨌든 무슨 말을 들었는지 가르쳐주진 않았지만

기억 안 나? 중학생 때였던 것 같은데

"그 편부모 가정 아이랑 어울려 다니니까"

네가 보기 드물게 화를 냈거든.

그 정도
아닐까?

말대꾸
라던가….

근데 그 후로
갑자기 공부를
하기 시작해서
꽤나…

… 가여워라.

그 후에
최악인 일이
너무 많아서
진짜 최악인 게
희미해졌던
거야.

생각났어.

…뭐니?
무섭게
갑자기
입을
다물고

?

그냥

다시는
그런 말
못 하게
해주겠다고
생각해서.

그래서
무슨 말을
들었는데?

아니,
뭔가
친구에
대한
거였어….

부스럭

부스럭

부스럭

딩동
딩동
딩도ー옹

딩도ー옹

여보
세요?

...아,
내가 응.
누르고
있어.

...그래?
그럼
들어갈게.

응ー

응ー

어?

응ー

뻔뻔하네.

우와, 뭐야? 멜론 오랜만에 보네.

응.

아, 사십구재 인가.

선물.

근데 너 아직도 피우는구나.

엄마한텐 비밀이다.

가끔.

분명

운치…?

다 큰 아들한테
잔소리 하기
싫겠지.

운치
있잖아.

알면서도
잠자코
있는 거야.

들켰을걸.

담배랑
같이 맞을 것
같은데….

뭐,
병이라도
발견되면
끝이려나.

아주머니랑
연애
얘기했어?

흐응.

넌
어떻게 됐어?
저번에
말한 애.

얘기할
생각도 없고.

모르겠어.
딱히…

그렇게
말하지 마.

맞잖아.

64

엄마랑 둘이 산다고 하면 기겁하더라고. 어째선지

…또?

아~ 잘 안됐어.

그런가? 단순한 자기소개인데.

…그 사실보다 그걸 먼저 밝히는 것에 겁먹는 거 아니야?

……

퐁 퐁 퐁

그렇긴 하지만.

다들 이런저런 사정이 있으니까.

나도
한 대
피워볼까.

미안,
연기
퍼진다.

펄럭

펄럭

아.

···

화륵

나
아닌데.

···그렇게
싫어
했으면서.

아아.

그게 아니라
물고 가볍게
빨면서···

선향이랑
다르지
않아.

치
익

잘
모르겠네.

그래?

...

나 말이야.

내 인생
최대의 성과는
너인지도
모르겠어.

잠정적으로.

제일 먼저 전하고 싶었어.

그러니까 이 감사의 마음을

오늘?

오늘 갑자기 생각한 거지만.

…뭐?

콜록

설마 …너, 죽으려는 건 아니지?

너도 항상 고맙다고 하잖아.

나도 안다고

내, 내가 왜?!

갑자기 말하지 말란 말이야, 갑자기.

난 적절한 타이밍에 하는 거고,

어른이 새삼 고맙다는 말 같은 걸 하면 좋은 상황이 아닌 게 당연하잖아.

뭐?

무슨 소리야.

납득이
안 되네….

진심
식겁했어.

무서
우니까.

다시는
그러지 마.

하아….

그거
그만 꺼.

그리고
이제
피우지 마.

…응.

…왜?

그게
내 처음이자
마지막
한 대인 거야?

그래.

노!

아니,
내가
정할 거니까.

너도
끊으면
따를게.

……

문이 열립니다. 주의하시기 바랍니다.

집에 가면

밥을 먹고 잔다.

1번 승강장에 보통 니시쿠조.

녹음해 둔 라디오를 순서대로 듣고

재방송하는 옛날 레스토랑 드라마를 보고

오늘은 괜찮겠지…

하아

공부는

75

사십구재를 마치고

아.

주——움

~~
마루예요.

여자
친구….

미무로의
…

다른 학교
교복…

반
친구
미무로

신간

아아.

흐음.

그거
라노
벨?

라노벨?

라노벨
아닌데.

아,
끝났어요.

오늘
너희 학교
시험이지?
끝난 거야?

라노벨

이시마루,
오랜만
이네요.

아까워라.
나카
마루야.

몇 번
만났잖아

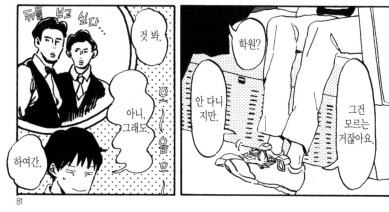

카당

카당

…

…

고구마.

할 수
없지,
이거
줄게.

먹고
남은 거?

먹고
남은
거지만.

그럼
이것도
더해서.

만게츠폰?

아시하라바시,
아시하라바시.

아뇨…
딱히….

초콜릿
좋아해?

…
여자애들은
초콜릿
같은 거
먹지
않나요?

만게츠폰 (먹고 남은 거)은
좋아하지만…

카당

카당

거참까…

뭐,
마음의
표현
같은….

근데
왜 미묘하게
존댓말이야?

동갑
이잖아.

…

신이마
미야.

어디서
내려?

40분….

그건 그렇고
다른 할 일
없어요?

?

딱히
없어.

조금만
더
가자.

아니,
꽤 가야
하는데
….

카당

카당

카당

학원 다닐만한 머리도 아니거든.

시험 봐서 알바도 없고,

완전 대단하지.

대단 하네.

높은 곳이 목표라고 했으니까. 본인이.

이런 시기부터 열심히 하는 미무로는 특히 더 대단하죠.

대입 준비 힘들겠다.

시험 본 날도 학원 가는 줄 몰랐어.

굴적 굴적

멋있는 것 같긴 해.

으음.

멋있고, 똑 부러지고.

...체인소
라던가.

...

뭐?

아니,
뭐....

그쪽
정도는...

특이하네.

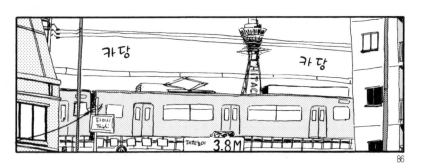

…료는 말이지,

놓고 가는 물건이 없도록 주의하시기 바랍니다.

신이마미야, 신이마미야 입니다.

…

꿀꺽꺽

대학에 가면 머리 좋은 사람이랑 사귈 거라고 생각해.

그냥.

…왜요?

네?

…글쎄요……

1번 승강장에서 내선순환 텐노지·츠루하시 ·쿄바시 방면으로

고등학교 땐 성적 외에는 인생 설계에 넣지 않는 것 같거든.

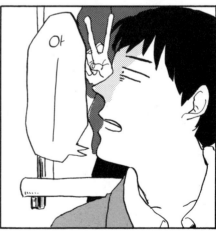

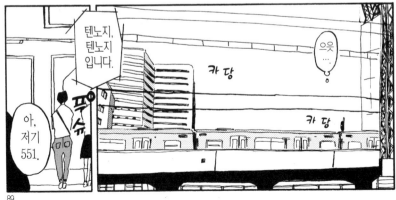

여행은 길동무 – 마침

그 남자는
어중간한
계절에
이사 와서

스스로
전학생의
간판을
내리지
않은 채
2주가 지났다.

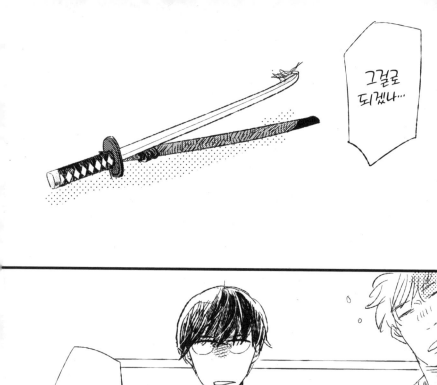

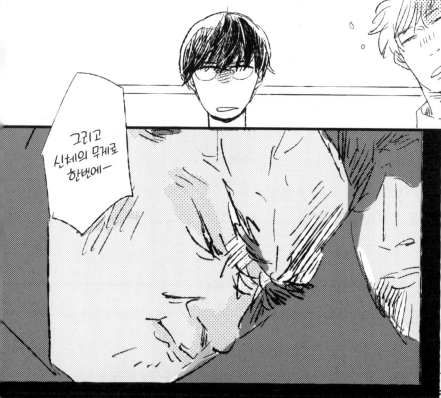

너,

…이 산책로로
지나지 않고
역까지
가는 법
알아?

끄덕…

이것저것
물어봐도
돼?

……

졸리면
잘지도
몰라.

아,
그래.

벌레(와 무기)여, 안녕히 — 마침

어?

음. ㅇ

......?

이런 신발이
있었나.

…예전에 자주 오지 않았나요?

여긴 처음 들어왔어요.

이 앞은 자주 지나다니는데

당신이 바닐라만 추천해서

난 어느 쪽이냐고 하면 초코를 좋아하는데

…

어느새 나도 바닐라를 좋아하게 됐죠.

오래
기다리셨
습니다.

저기,
우리는

충돌
이라던가
....

큰

싸움
같은 걸

했었
나요?
그,

우린

사이좋게 지냈죠.

어쨌든 계속

예전에 혼이 하나였었는지도 모르겠네요.

...정말 그렇게 말할 것 같아.

흐응

그렇죠?

맛있네요, 이거.

아.

네,
저기

응.

감사
했습니다.

저기,
저는 이만
가볼게요.

네,
그것도
가져가도
돼요.

사십구재를 마치고

또 봐요.

늦는 주제에
연락도 없길래
아이스크림
얻어먹었는데요.

…너,
뭘 하고
있었던
거야.

그건
미안
하네요.

…뭐 하고
다니는
거야?

아!

있잖아.

응,
모르는
사람.

아는
사람?
먹어도
돼?

132

모르는 사람 / 알고 싶은 사람 — 마침

복숭아와 여로
Collected short stories
of Asa Tanuma

쓰레기.
엄마.
오빠.
아빠.
오빠.
엄마.

응?

일단 복사도 해왔으니까 괜찮으시면…

아니, 괜찮아요.

어째서?

네? 아, 맞네요….

이거 학생증이니까 확인을 좀….

죄송합니다. 저는 시노부의… 아니, 야마시타와 같은 연구실에 있는 카도타라고 해요.

네에.

집에 오면 전해주시 겠어요?

연락해 달라고.

아, 아니… 아아. 그런가. 그럼 만약

학교에 있지 않을까요?

아뇨, 딱히 만나지 못하는데

희한한 거리감….

1m 남짓

아… 근데

요즘 야마시타는 들어오고 있나요…?

대학교가 그렇게 넓나?

네…

역시 두고 갈 테니까 보여주시면…

이거

결국 받았다.

아, 네.

그럼 이만.

무슨 볼일 있어?

요즘 실험이 어떻다면서 별로 들어오질 않거든.

아.

부스럭

연락하고 싶으면 메일이나... 연구실로 전화해 봐.

아니, 근데 그렇게 까진... 메일만으로 어떻게 살지?

멀쩡하게 잘살고 있어.

나도 한동안 저녁 필요 없다는 말밖에 못 들었어.

나한테만 보이지 않는 건가 했어.

역시 그랬 구나.

무슨 유령더러 말이야

그렇다고 근처에 하숙하는 애 집에서 잘 것 같지도 않고.

글쎄~.

...학교에서도 잘 수 있는 건가.

부스럭   부스럭

일단 따라는 가지만 순식간에 소모된단 말이지.

어머, 그립네.

할머니 댁에 여행 갔을 때도

다른 사람 집에서 자는 거 엄청 싫어하잖니. 그 애.

재밌어

매일 다크서클 생겨서 비틀거렸지.

달 각

어? 곧 생일이잖아.

그래도 밥 정도는 좋아하는 걸로 준비해 줘야지~.

근데 축하는 스무 살로 끝난 거 아니야?

아, 그러네.

큰일 날 뻔했네, 깜박했어.

뭐?

...좋아 하는 거?

정말로
뭐든 괜찮은
거겠지만…

하지만 물어봐도
'뭐든 괜찮아'라고만
하는걸.

…굉장하지
않아?
20년 넘게
살았으면서
좋아하는 게
바로 떠오르지
않다니.

……

고도의
이미지
전략이라…

진짜
동생
이니까.

어머,
진짜
동생 같은 말을
다 하네.

근데
그 커뮤니케이션
능력으로
잘 살 수 있을지
걱정은 돼.

하긴.

앉아서
먹어

…그렇다 해도
대부분의 일은
혼자
기분 좋다는 듯이
하고 있지만.

그래도
지금까지
어떻게든
해왔고

자기 성격의
문제점은
그 애가
제일 잘 알겠지.

아니…
고마워.

…받으면
안 됐던
거야?

…싫어.

왜?

핸드폰
갖고
다니면
될 걸.

모르는
사람의
개인 정보를
알게 되는 거
꽤 무서워.

…성의를
보이는 법이
특이한 애야.

그 사람
이라던가?

갖고
다니라고
안 해?

누가?

갑자기
연락해서
안 받으면
화내잖아.

……

카
당

카
당

카
당

카
당

카
당

키가 크면
눈에
띄는구나.

카
당

왠지,
뭐가…

등이

움켜쥐고
있기만
하고

핸드폰은
보지도
않으면서

음악도
듣지 않고

카
당

카
당

와~.
인류 최장이잖아요.

아…
3년 정도
됐으려나
….

안 지
오래
됐어요?

오빠랑.

인류…?

고등학생
이라…

네?

아니,
일단은
…

왜 그렇게
떨어져서
걸어요?

흐음.

……

아니,
오빠도 가족을
그 사람이라고
해서요….

그런 얘기
집에서 하나도
안 하거든요,
그 사람.

훗.

왜요?

호오…
뭔가
꽤 충격이네요.

아니,

내가…
제가 물어보면
나름
대답해 줘요.

가족 얘기를
한다고요?

으앗.

일단···

그럼

너덜···

거지?

괜찮은

미안한데
오늘 저녁은
됐다고
전해줘.

응.
근데 아마
처음부터
준비
안 할 거야.

그래
···.

···거짓말
아니야.

응,
반사적
으로
도망친

거짓말.

그 뒤로
얼마 후

다른 사람이랑
살 거라는
말만 남기고
오빠는 훌쩍
집을 나갔다.

부모님은
무척 놀랐지만
(특히
'다른 사람이랑'
부분)

그래도

사십구재를 마치고

얕봐서 미안해.

뭐야.

잘못돼?

단어 선택이 잘못됐지만.

아니, 얕봤다고 할까,

뭐?

아... 나를?

깜짝 놀랐거든.

그린 재능이 있다고는 생각 못 했어.

그래서 ....

의지할 수 있는

남을

자신만이 아니라 이렇게... 다른 사람한테,

…그러니까 인식을 좀 바꿔야겠다고 할까.

원래 이해할 수 없는 일로 계속 웃어.

미안해, 큭….

너무 웃는 거 아니에요?

지금은 이게 제일 좋은 것 같으니까.

아, 웃음이 멈췄다.

딱히 재능이라고 생각하진 않아.

……

'지금은'?

낯선 얼굴을 한 오빠와

당분간…

'당분간'?

…

'현재 로서는'?

현재 로서는.

춥지만
밝은
분위기에서
헤어졌다.

안 가요~

오지 마

언제든
놀러 와요~

잘 알지
못하는
사람과

좋아하는 음식
엄마한테
알려줘야지.

어쨌든
건강하게

다정한 뒤죽

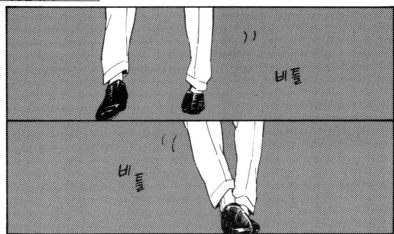

사십구재를 마치고

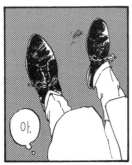

아.

...
이건가.

? ? ?

...

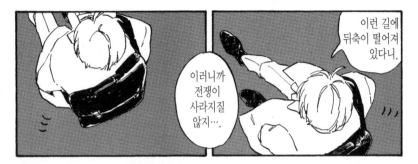

이런 길에
뒤축이 떨어져
있다니.

이러니까
전쟁이
사라지질
않지…

범인은
분명

이건

엄청
덜렁이

사회적인
뒤축
누락이고
…

겠군…

사십구재를 마치고

지금 당신과 똑같이 잔뜩 취해서

이런 평평한 길에 화려하게 넘어지더니

...어?

내가 떨어진 줄도 모르고.

갈지자의 표본처럼 걸어서 가버렸어.

난 뒤축 말고는 될 수 있는 게 없는데

앞으로 어떻게 해야 할까.

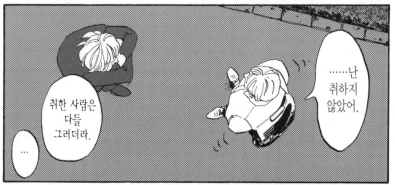

......난 취하지 않았어.

취한 사람은 다들 그러더라.

...

술이 깬 후에 찾으러 와주면 좋겠지만

지금 아무도 없거든.

...어?

그럼 우리 집에 갈래?

아니.

바로 저기야.

아니~.

그런 일은 없겠지?

사십구재를 마치고

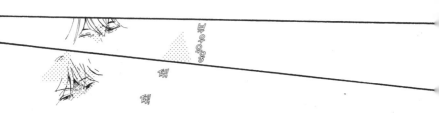

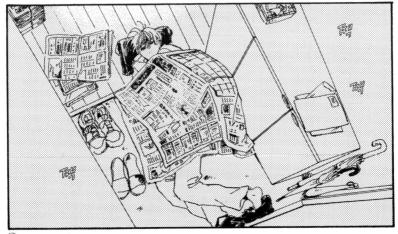

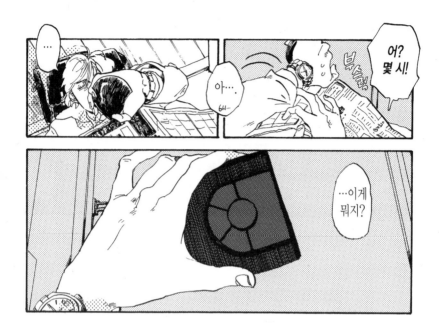

사십구재를 마치고

뭘.

스미다 씨,
좀
봐주세요
….

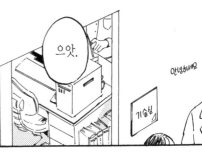

으앗.

안녕하세요

기술실

음.

쿠와 씨한테
혼날지도
몰라요.

운전
안 할
거야.

마스크
써세요

술
냄새가
너무
심하
잖아요.

여기물

이런, 스미다 군…

우웩.

끼이

…이와이 씨가 나가서 괴로운 건 알아.

사물놀이야?

아까 엄청 꾸벅이던데.

아까 태도는 뭐야?

죄송합니다.

아얏.

어떻게 그걸…

계속 이러고 있을 순 없잖아.

…네.

꾸욱 꾸욱

이번 주말로 얼른 마음 정리해.

사십구재를 마치고

뭐…
여기
놓였으니
까요.

…

계속
거기
있었어?

네?

뚝

넌

조심히
가요.

이번
주말.

그렇
구나.

일단
떨어져 나온
저 같은 건
어쩔 수가
없어요….

이번
주말로
….

응….

SAI

이번
주말.

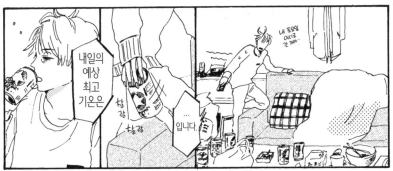

177

없네
...

?

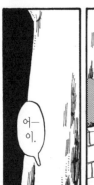

어―
이.

어이.

어...?

그럴
리
없지.

아니,
어쩌면
소유주가
...

이
빠
ㅣ

에이~ 설마 저런 곳에 놔두고요?

어디 갔었던 거야? 개한테라도 물려간 줄!

죄송합니다.

안녕하세요...

또 쓰레기에 쥐워 오고!

마침 잘됐네~

...그,

뭐, 그 사람도 딱했으니까.

지금 다른 구두에 붙여준 참이에요.

?!

베틀

실은 어제 모르는 아저씨가 집에 가져가서

어 정말레가 저한테 안 맞는 걸 걸어서 좀 가져왔어요

...

솔직히 맞으면 언네~

진짠데요.

저도 놀랐어요.

그럴 리가 없잖아, 사실을 말해.

...지금은

상상도
할 수
없는 일이

이 세상에
일어나고
있거든요.

분명
당신한테도
일어날
거예요.

훌쩍

...응.

뭐,
좋은 것도
나쁜
것도···.

지쳤다
....

......

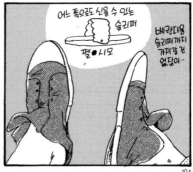

어느 쪽으로도 신을 수 있는 슬리퍼

펠●시모

베란다용 슬리퍼까지 꺼내갈 건 없잖아...

날씨 좋다.

등에 순간접착제가 발라지는 건 진짜 싫은데…

다정한 뒤축 — 마침

도색(桃色)의 꿈

아.

둘.

...하나.

다섯.

부득이하게 캘린더 기능이 있다는 걸 처음 알았다.

셋.

넷.

여섯.

일곱.

우와아아아
우와아아아

마 딱
히무라

아, 뭔가
터무니없이
전, 것,
같은데요.

왠지
오늘
분위기가
뜨겁네요.

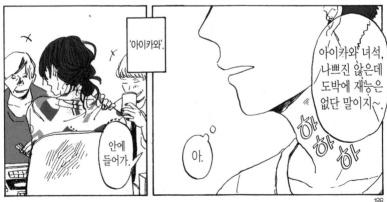

'아이카와'.

안에
들어가.

아.

아이카와 녀석,
나쁘진 않은데
도박에 재능은
없단 말이지~.

하
하
하

아.

네

노리카 씨한테
있다 전해줘

뭘
걸었던
거죠?

시무소
접수

...

아까.

입 밖으로 나와버렸다.

바보잖아?

집.

어쩌다 보니 그런 사이가 되고 1년 남짓.

OXA 해봐도 돼?

�$놈주

그 뒤로 생각 없이 둘이 살기 시작해 2년.

· 직업 없음
· 돈 없음
· 가족 없음
· 집 없음 ←New!!

밥급 거 안 멱어도 되는 거야?

호오― 거 먹으면 죽어

아무리 좋게 봐도 가진 게 없는 남자였지만

삐롱 삐롱 삐롱

옛날 게임은 잘한다

아이 카와는

그래서
의외로

퍼
억

그런
주제에 가끔

정말
모든 걸
가진듯한
얼굴로
이쪽을
본다.

빠
각

라는
것이

소금만 있으면 엿마든지 마실 수
있단
말이다~

일부러
갖지
않는 게
아닐까?

빠
악

어쨌든
내
결론이다.

아픈 게
싫으면
똑바로
하세요.

뭐?

별로 쓸 일 없어서 괜찮아.

이제 그만 스마트폰으로 바꾸지 그래.

…네, 그럼.

끝났습니다.

…거의 집에 있으니까.

여자가 잔소리 안 해?

…아니, 딱히.

괜찮아.

뭐야, 일을 그게. 해야지.

어째서?! 아, 부자야?

내일부터 잠깐

내 할머니라는 사람 만나고 올 거야.

...아.

글쎄.

...있었어? 친척.

글쎄라니....

그런 이유로 오늘은 이만 자야 해서

불 끌 거야.

빨리 먹어

...

금방 갔다 올게.

뭐, 상대도 얼굴 보면 만족할 테니까

사십구재를 마치고

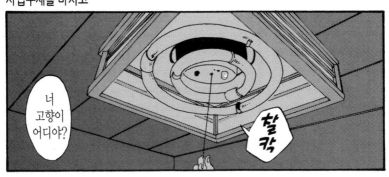

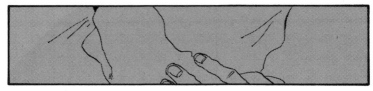

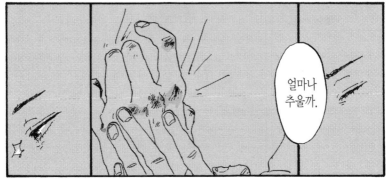

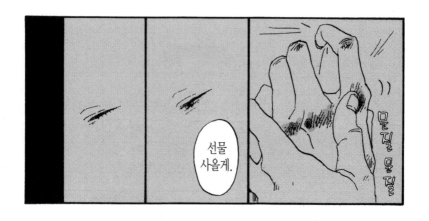

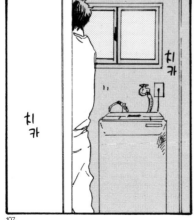

그 후로
7일이나
지났지만
아이카와는
돌아오지
않았다.

역시
여기
있었네.

아,
찾았다.

아이카와가
언제
돌아오느냐가
더 문제다.

그런 것보다
지금
나한테는

…뭐
봐?

흐음.

아, 뭔가
옛날 거.

더,
더빙은
별로네.

…

이거,

어?!

뭔가
분위기가
깨진다고
할까.

…영화?

미안,
깼어?

아.

진실

…실은 아까 라멘 먹으려다가 국물을 좀 흘렸거든.

잘 닦긴 했는데

…

화면이 이런 핑크색이었나?

…

켰더니 이런 색이 됐어.

어? 아아.

맞다, 연락 못 해서

이 기회에 우리 집도 디지털 TV로

… 늦었네.

미남은 핑크색이어도 미남이구나…

미안

?!
?!

야쿠O를 불러보자!
두목 → 캡틴
부두목 → 헤드
누님 → 마돈나
간부 → KB
etc

왜 그래?!
캡틴한테
혼났어?

아님
됐지만...
왜
그러는데?

남의
상사한테
이상한
별명
붙이지
마....

몰라,
처음
울었어.

꽉
악

꽉
악

거짓말만
하고

아니,
이런 거
진짜
드무니까
잘 봐두려고.

...왜 불을
켜는

왜 그래?
뭐야,
뭔데?!

죽는다
....

미안!!

…네가 없어지면 어떡해.

옳지, 대체 무슨 일이야.

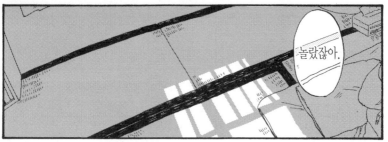

놀랐잖아.

다치게 한 건지, 다친 건지 항상 어두운 얼굴로 돌아오니까

뭐야.

나, 매일 생각했어.

드디어 나처럼 됐구나.

너도

정말 이젠 좀 봐달라고 생각했어.

내일은 어떻게 될지 모르겠어서

나도
갖고 싶다.

하,

돌아오지 않을 생각이었을지도 모르잖아.

사실 조금은

바보구나.

나도 이미

그건 모르는 거야.

사츠키밖에 없는데.

그렇게 말해주고 싶었지만 아무튼 처음 울었기 때문에

분명 내가 죽는 건 사츠키의 배 위일 테니까….

그대로 잠든 척을 했고

……

어느새 정말 잠이 들어 버렸다.

이거 알고 있어? 진짜거든?

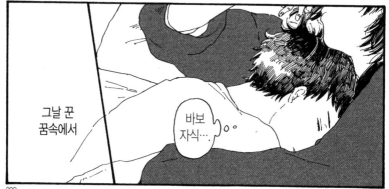

그날 꾼 꿈속에서

바보 자식…

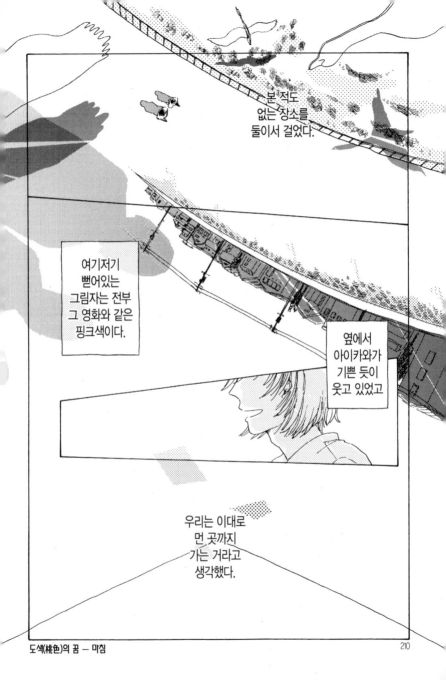

본 적도
없는 장소를
둘이서 걸었다.

여기저기
뻗어있는
그림자는 전부
그 영화와 같은
핑크색이다.

옆에서
아이카와가
기쁜 듯이
웃고 있었고

우리는 이대로
먼 곳까지
가는 거라고
생각했다.

도색(桃色)의 꿈 — 마침

사십구재를 마치고 -그 후-

난 이만
잔다.

끼
익

아뇨,
가봐야죠.
죄송해요,
늦게까지….

츠카사,
오늘 자고
갈 거니?

그래?

잘
자렴
…

아.

잘 자~.

안녕히
주무세요.

…보통은 아들이 도와주지 않냐.

…아아.

…어?

길에서 갑자기 누가 권하면 거절할 수 있어.

아니, 나도.

주스 한 잔도 거절 못 하면서 대체 어떻게 살아온 거야.

글쎄.

바나나주스 어떠세요?

필요 없으면 직접 거절해.

아니, 입장 이라는 게…

있잖아.

여러 가지로.

못 할걸?

…이거 마시고 갈까.

요즘 아무래도

뭔가 숨기는 것 같아.

…

기분이 별로인가…

얕보지 마.

훗.

216

자기 아들한테도 안 묻는 걸 남의 자식한테 묻겠냐.

아….

…

…아주 머니는

아, 이게 아닌가.

결혼 같은 거 안 물어 보시네….

남은 주스 7센티 정도의 화제….

빙 돌려서….

음…, 뭐,

그래도 마찬가지 겠지.

보통 본인 아들한테 묻고 싶은데

물어볼 수 없어서 남의 자식한테 묻는 거잖아.

흐응….

물어도 소용없다고 생각하는 거야.

?

너희 집은?

이번에
중학교 동창
두 분이랑
같이 산다나
뭐라나…

서로 즐겁게
지내는
정도야….

우리 집은
전혀…

아.

아무 말
안 하셔?

아주
머니,

어?

3주기도
끝났고

그런 거
갖고 있는 거
처음 봤어.

좋네.

저번에
본가 갔을 땐
빨간 카디건을
입고 있었는데

응.

꽤 즐거워
보여.

…호오,
그래?

잘 어울릴 것
같은데.

흐음.

같이
살까?

…응,

어울리더라.

………뭐?

어째서?

아주머니랑 셋이?

…어?

누가?

우리들.

항상 나가라는 소리 듣고 있고,

그냥

집을 나갈 생각이야?

어?

아니,

무슨 소리야.

아.

이건

왠지

농담으로
넘길 수 있는
타이밍을

웃으면서

놓친

타
앙

달아.

놓친 것
같은

느낌이

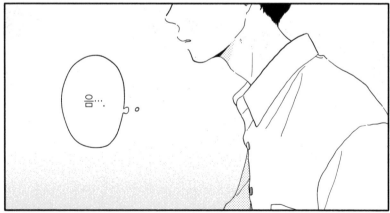

음….

사십구재를
마치고

타누마 아사 작품집

**Collected short stories
of Asa Tanuma**

—마침

사십구재를 마치고

2024년 09월 08일 초판 인쇄
2024년 09월 15일 초판 발행

저자 : Asa Tanuma
역자 : 나민형
발행인 : 황민호
콘텐츠2사업본부장 : 최재경
책임편집 : 소민주 / 임효진 / 김영주
발행처 : 대원씨아이(주)

서울특별시 용산구 한강대로 15길 9-12
전화 : 2071-2000·FAX : 6352-0115
1992년 5월 11일 등록 제 3-563호

SHIJUKUNICHI NO OSHIMAI NI TANUMA ASA SAKUHINSHU
ⓒAsa Tanuma 2023
First published in Japan in 2023 by KADOKAWA CORPORATION, Tokyo.
Korean translation rights arranged with KADOKAWA CORPORATION, Tokyo.

잘못 만들어진 책은 구입하신 곳에서 교환해 드립니다.
문의 : 영업 02) 2071-2072 / 편집 02) 2071-2112

ISBN 979-11-7245-931-4 07830